Loi N° 49 956 du 16 juillet 1949,
sur les publications destinées à la jeunesse :
mars 2002.
Dépôt légal : mars 2002

Imprimé en Italie par *Grafiche AZ*, Vérone

Petit-Bond trouve un ami

Max Velthuijs

PASTEL

l'école des loisirs

Par une belle journée d'automne, Petit-Bond se balade
dans les bois. Sur les arbres, les feuilles ont pris des couleurs
flamboyantes : jaune d'or, orange, brunes.
«Le monde est vraiment merveilleux», se dit Petit-Bond.

Soudain, l'attention de Petit-Bond est attirée
par quelque chose qui traîne dans l'herbe…

Il s'approche et découvre un petit ours brun
vêtu d'un pull rouge. Une larme coule sur sa joue.

Petit-Bond le ramasse délicatement.
«Oh! Comme il est joli. Je vais l'emmener à la maison.
Il vivra avec moi», se dit-il. Et Petit-Bond rentre chez lui
en serrant bien fort son nouvel ami contre sa poitrine.

En chemin, il rencontre Cochonnet. «Voici mon nouvel ami»,
dit Petit-Bond. «Je l'ai trouvé dans les bois.»
«Mais que vas-tu en faire?» demande Cochonnet.
«Il va vivre avec moi. Ainsi, il ne sera plus tout seul»,
répond Petit-Bond.

«Laisse-moi le voir», dit le Lièvre qui est déjà au courant.
«Mais ce n'est qu'un ours en peluche ! Un jouet !
Ça ne parle même pas !»
«Je vais lui apprendre», dit Petit-Bond.

Main dans la main, Petit-Bond et le petit ours se dirigent
vers la maison de Petit-Bond.
Le petit ours marche très bien.

Les premiers jours, le petit ours ne dit rien.
En revanche, il mange beaucoup. Quel appétit !

Avant d'aller dormir,
Petit-Bond raconte des contes de fées au petit ours.
Il lui apprend aussi des mots : pomme, rose, lune, soleil…

Pendant la journée, ils jouent tous les deux au football
et à d'autres jeux amusants.

Le soir, ils font de la peinture.
Ils passent ensemble des moments merveilleux.
Peu à peu, Petit Ours commence à parler.

Un jour, Petit-Bond lui demande:
«D'où viens-tu exactement, Petit Ours?»
«De là-bas», répond Petit Ours en montrant avec sa patte.

Le Lièvre est bien étonné de l'entendre parler.
«Je lui ai appris», dit fièrement Petit-Bond.

Tout le monde vient écouter Petit Ours parler.
«Dis-nous quelque chose !» demandent-ils en chœur.
Après un long silence, Petit Ours dit :
«Bonjour ! Le temps est magnifique.»
C'est vraiment incroyable ! Tous éclatent de rire.

Depuis ce jour-là, Petit Ours est très gâté !
Blanche la Cane le promène sur son dos…

Cochonnet lui prépare des gâteaux…

Le Rat l'emmène pêcher…
Tous adorent Petit Ours et Petit Ours est très heureux.

Mais un jour, il se passe une chose étrange :
Petit Ours s'assied sur un rocher et regarde au loin.

Il ne veut plus jouer, ni parler à personne.

Il n'a même plus envie de manger.
«Que se passe-t-il?» demande Petit-Bond. «Tu es malade?»
«Non», répond Petit Ours. «Je ne sais pas ce que j'ai.»

Mais le lendemain matin, il se lève très tôt.
«Où vas-tu ?» demande Petit-Bond inquiet.
«Je retourne là d'où je viens. Je rentre chez moi», dit Petit Ours.

Tout le monde accourt voir ce qui se passe.
«Tu pars ?»… «Où ça ?»…
«Tu connais le chemin ?»
«Je le trouverai», répond Petit Ours.

Le cœur gros, ses amis lui préparent un petit sac à dos
avec de la nourriture et des boissons pour la route.
Et Petit Ours retourne d'où il vient.

Petit-Bond est très malheureux.
Pendant plusieurs nuits, il se tourne et se retourne dans son lit.
«Oh, Petit Ours, tu me manques tellement !»
Et Petit-Bond pleure jusqu'à ce qu'il s'endorme.
Puis un matin, très tôt, quelque chose de chaud
grimpe dans son lit et se glisse à ses côtés…

Petit-Bond ouvre les yeux.

«Petit Ours !» chuchote-t-il. «Tu es revenu ? C'est vraiment toi ?»

«Oui», dit Petit Ours. «Tu es mon ami le plus cher.

Ma place est ici, près de toi. Maintenant, je le sais…

Et plus jamais je ne partirai.»

Sur ces mots, Petit-Bond et Petit Ours s'endorment, heureux.